STELLA

SIRENA DEL MARE

MARIE-LOUISE GAY

Titolo originale: Stella star of the sea

First published in Canada and the USA
by Groundwood Books www.houseofanansi.com

via Calatafimi 10, 20122 Milano Tel. 02-83.24.24.26
editore@terre.it - libri.terre.it

Direzione editoriale: Miriam Giovanzana
Coordinamento editoriale: Davide Musso

Traduzione: Sara Ragusa

Supplemento al numero 043, marzo 2013, di "Terre di mezzo"
Direttore responsabile Elena Parasiliti
Registrazione Tribunale di Milano, n. 566 del 22 ottobre 1994

Prima edizione: febbraio 2013
Prima ristampa: settembre 2013
Me.Ca, Recco (Ge)

Questo libro è stampato su carte dotate di certificazione FSC®,
che garantisce la provenienza della materia prima da foreste gestite
in maniera responsabile: l'interno su carta Symbol Freelife da 170 grammi
delle cartiere Fedrigoni, la copertina su carta Symbol Freelife da 300 grammi
delle cartiere Fedrigoni.

A Jacob, che voleva sempre sapere perché

Stella e Sam passano una giornata in spiaggia.
Per Sam è la prima volta.

“Non è bello Sam?” chiede Stella.
“È molto grande” risponde Sam, “e rumoroso”.

Stella ha già visto il mare una volta, prima che Sam nascesse.
Conosce tutti i suoi segreti.

"L'acqua è fredda?" chiede Sam.
"È profonda? Ci sono i mostri marini?"

“L’acqua è perfetta” dice Stella.
“E non ci sono mostri marini in vista. Dai, buttati Sam!”

“Adesso no” risponde Sam.

"Da dove arrivano le stelle marine?" chiede Sam.
"Dal cielo" risponde Stella.

“Sono stelle cadenti che si sono innamorate del mare.”

“Non hanno paura di affogare?” chiede Sam.

“No” risponde Stella. “Hanno imparato tutte a nuotare.”

"Cos'è questa?" chiede Sam.
"Una conchiglia pettine. La usano le sirene per i capelli."
"Cos'è questa?" chiede Sam.

“È una conchiglia zampa di pellicano” risponde Stella.
“Ce ne sarà uno che zoppica da qualche parte.”
“E questa?” “Una conchiglia occhio di squalo” dice Stella.

"Nel mare ci sono gli squali?" chiede Sam.
"Li hai mai visti?"

"Solo uno piccolo" risponde Stella,
"con una benda sull'occhio. Vieni Sam?"
"Adesso no" dice Sam.

“Guarda Sam” lo chiama Stella.
“Ho trovato un cavalluccio marino.”

“Il cavalluccio marino nitrisce?” chiede Sam.
“Il cavalluccio marino galoppa?”

“Sì!” urla Stella. “E puoi cavalcarlo senza sella.
Dai, buttati Sam!”

“Non ancora” dice Sam.

“Scaviamo una buca profondissima” propone Stella.

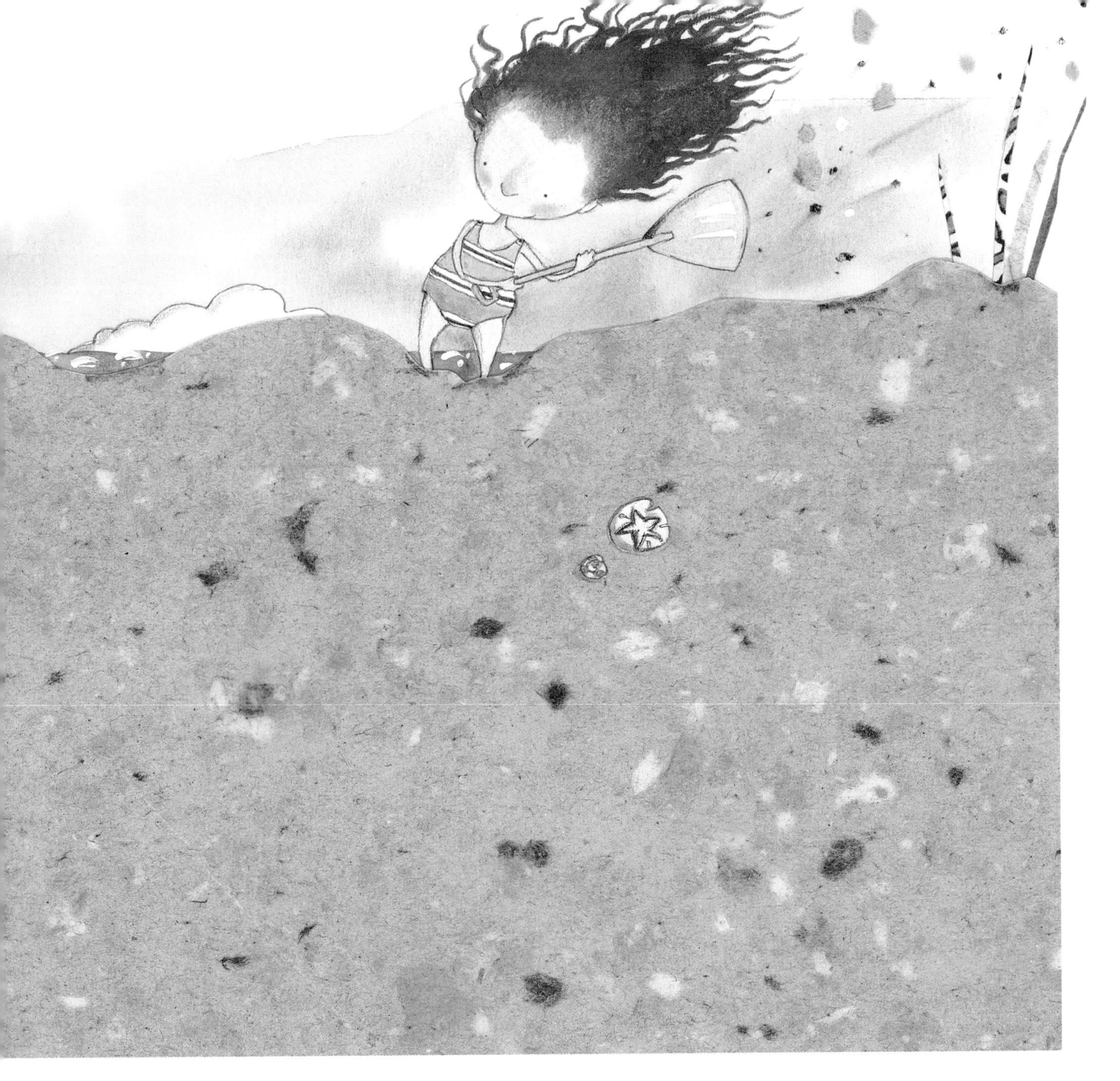

"Perché?" chiede Sam. "Per farci cosa?
Dove andiamo a finire?"

“In Cina” risponde Stella.
“Ci siamo già arrivati?” chiede Sam.

“Andiamo a pescare, Sam” sospira Stella.
“Magari prendiamo un pesce gatto.”

“Il pesce gatto fa le fusa?” chiede Sam.
“Il pesce cane abbaia? La rana pescatrice gracida?”
chiede Sam.

“Non lo so” sospira Stella. “Io vado a nuotare.”
“Il pesce pappagallo sa nuotare?” chiede Sam.
“Oppure vola e gracchia?”

“Il mare tocca il cielo?” chiede Sam.
“Le barche navigano oltre il bordo?
Da dove arrivano le onde? Perché...”

“Sam!!!” urla Stella. “Ti decidi a buttarti?”

“SÌ!” dice Sam.